학교에 간 개돌이

신나는 책읽기 ❶
학교에 간 개돌이

1999년 9월 10일 초판 1쇄 발행
2008년 11월 5일 초판 43쇄 발행
2009년 2월 20일 개정판 1쇄 발행
2010년 1월 25일 개정판 4쇄 발행

지은이   김옥
그린이   김유대, 최재은, 권문희

펴낸이   고세현
펴낸곳   (주)창비
등록   1986. 8. 5. 제85호
주소   413-756 경기도 파주시 교하읍 문발리 513-11
전화   031-955-3333
팩스   031-955-3399(영업) 031-955-3400(편집)
홈페이지   www.changbikids.com
전자우편   enfant@changbi.com

ⓒ 김옥 1999, 2009
ISBN 978-89-364-5101-1 73810

학교에 간 개돌이

김옥 동화집 ● 김유대 · 최재은 · 권문희 그림

창비

어린 친구들에게

아주 어릴 적, 비가 많이 오던 여름날이었어요. 시골집 높은 마루 위에서 책을 읽다가 뜻 모를 낱말 하나를 발견했습니다.

'동화 작가'

저는 이 말뜻을 옆에 계시던 아버지께 여쭤 보았습니다. 그러자 학교 국어 선생님이셨던 아버지는 아주 자세하게 그 뜻을 설명해 주셨어요. 다 기억이 나진 않지만, 동화 작가란 어린이들에게 '꿈을 주는 사람'이라는 말은 지금도 선명하게 생각납니다.

그 말은 이상하게도 어린 저를 들뜨게 했습니다. 저는 그 자리에서 아버지께 벅찬 마음으로 다짐했답니다.

"나는 앞으로 꼭 동화 작가가 될 거예요."

저는 그 소원을 마음속 깊이 새겼습니다. 그리고 오랜 세월이 지나 저는 어린 시절의 소원을 이룬 행복한 어른이 되었습니다.

가끔 정말로 제가 어린이에게 꿈을 주는 글을 쓰고 있는지, 진실한 글을 쓰고 있는지 혼자 생각해 보곤 합니다. 그러면 정말로 많이 부끄럽습니다. 그때마다 더 많이 노력해야겠다, 더 많이 솔직해져야겠다고 반성하게 된답니다.

이제 저는 또다시 어린 친구들에게 다짐해 봅니다. 어린 시절 아버지께 다짐했던 것처럼요.

"나는 언제까지나 어린이들의 진실한 친구로 남을 거야."

제게 가장 귀한 친구인 어린이 여러분 모두가 시냇가에 심은 나무처럼 튼튼하게 잘 자라나길 간절히 기도합니다.

1999년 여름

김옥

 차례

책벌레

달빛이 도서관 유리창으로 쏟아지던 밤이었어요.

그날 밤, 국어사전 880쪽 '축복' 방에서 아기 책벌레가

태어났답니다.

아빠 책벌레가 엄마 책벌레에게 말했어요.

"앞으로의 행복을 빌어 주는 방에서 태어났으니, 우리

아기는 정말 축복받은 벌레요."

엄마 책벌레는 아빠 책벌레를 보고 살짝 눈을 흘겼어요.

그러고는 온몸의 주름을 느리게 폈다 접으면서 한마디 덧붙였어요.

"당신, 또 글자들을 읽었죠? 글자는 그냥 먹는 것이지, 읽을수록 우리 벌레들에게는 좋지 않다는 걸 잊었어요?"

"허허, 우리 집안은 다른 책벌레 집안과 다르다는 걸 잊었소?"

아빠 책벌레가 엄마 책벌레를 달래듯이 말했어요.

"우리 집안은 오래전부터 책 속의 글씨를 읽고 이해하려고 하지 않았소? 이제 우리 아기가 그 꿈을 이뤄 줄……"

"하지만 그게 뭐가 중요해요?"

엄마 책벌레가 아빠 책벌레 말을 중간에서 뚝 끊었어요.

"먹을 글자 많겠다, 온갖 책이 가득한 이 세상에서 편히 사는 것보다 더 큰 행복이 있나요?"

엄마 책벌레와 아빠 책벌레 사이에 싸움이 벌어졌어요. 이런 싸움은 책벌레 마을에서 아주 오래전부터 해 오던 싸움이기도 하답니다.

책벌레들은 늘 두 편으로 갈라져 있었어요. 이 책 저 책 돌아다니며 글자들을 배불리 파먹고 즐기자는 '먹자파' 벌레들이 있고요. 글자들을 먹지만 말고, 열심히 읽어서 지혜로운 벌레가 되자는 '연구파' 벌레들로요.

그때, 아기 책벌레가 잠에서 막 깨어났어요. 아기 책벌레는 움직일 때마다 '꼬무르 꼬무르르' 하는 귀여운 소리를 냈어요.

그러자 엄마 책벌레가 기뻐서 소리를 질렀어요.

"우리 아기가 벌써 조금 자랐나 봐요. 어서 이름을 지어야겠어요."

'축복' 방 위의 '축배' 방으로 꼬무락 꼬무락 기어가는 아기 책벌레를 보며 아빠 책벌레가 중얼거렸어요.

"아가야, 너는 훌륭한 책벌레가 될 거야. 네 맑은 눈을 보면 알 수 있단다."

아빠 책벌레는 소중한 아기 책벌레에게 특별한 이름을
지어 주고 싶었어요. 이웃 동네 『꽃꽂이 안내』네 '꺾꽂
이'나 『바둑 해설』네 둘째 '검은돌', 아니면 흔하디 흔한
'엉금이' '꿈틀이' '밍기적' 같은 이름말고요.

아빠 책벌레는 그런 이름은 정말 싫었어요. 온몸에 주름을 잡으며 고민고민하다가, 아! 마침내 생각해 냈답니다.

'행진'

아빠 책벌레가 지은 이름이에요.

"행진? 행진이라니, 좀 이상하지 않아요?"

엄마 책벌레가 고개를 갸우뚱거렸어요.

"보름 전에 982쪽에 들렀다가 '앞으로 걸어 나아감'이라는 뜻이 좋아서 기억해 둔 거요. 아무리 어려운 일이 있더라도 새로운 배움을 향해 앞으로 나아가라는 뜻이지."

아빠 책벌레가 말했어요.

"자, 이제 이름도 지었으니 잔치 준비를 서둘러야지."

엄마와 아빠 책벌레는 어서 빨리 다른 책벌레들에게 이 사랑스런 아기를 자랑하고 싶었어요. 그래서 도서관 나라의 모든 책벌레들에게 초대장을 보냈답니다.

초대장이 나가자마자 책벌레들이 모여들었어요.

초대합니다.

국어사전 집에 첫아기가 태어났습니다.

축하 잔치가 국어사전 880쪽 '축복' 방에서 열리오니
많이 와 주세요.

모이는 시간: 도서관 나라에 어둠이 찾아오고 노란 철문이 닫히는 시간.

준비한 음식: 맛있는 글자와 같이 버무린 색색깔의 그림.

파란색 띠를 두른 '참고'와 '주의'.

교양 있는 벌레들이 두루 엮는 표준어 부록.

달짝지근한 불량 글자 부록.

아기 책벌레 손님들을 위해서는 특별히
옛적부터 내려오는 '줄줄이 글사탕'을
마련했습니다.

국어사전 880쪽 방뿐만 아니라 앞뒤 방인 '추임새'나
'축제' 방까지도 손님으로 가득가득했어요.

"축하해요. 드디어 아기를 봤군요."

책벌레 손님들이 꾸물꾸물 들어왔어요.

아빠와 엄마 책벌레는 즐겁게 맞이합니다.

"와 주셔서 고마워요. 많이들 드세요."

이 말이 끝나기가 무섭게 책벌레 손님들은 국어사전 집을 정신없이 돌아다니기 시작했어요. 맛있게 생긴 글자들을 찾아 먹어 치우느라고 난장판이 벌어진 거죠.

책벌레들이 가장 많이 모여드는 곳은 472쪽의 '산해진미'나 835쪽의 '진수성찬' 방이었어요.

'과자'와 '사탕' 방은 아기 책벌레들이 들랑거리며 어찌나 갉아 댔던지 흔적도 없이 사라졌어요.

980쪽의 '햄버거'나 '햄버그스테이크', 심지어는 그 아래아랫방인 '햅쌀' '햇곡식' '햇과일'도 인기가 좋았답니다.

아빠 책벌레는 눈살을 찌푸렸어요.

"글자란 먹어 치우는 게 아니라 머릿속에 쌓아 가는 것이라는 것도 모르고. 한심하군."

그러자 엄마 책벌레가 아빠 책벌레 배에 대고 소곤거렸
어요.

"쉿! 여보, 손님들이 듣겠어요."

"알아, 오늘은 내가 참겠소. 내 집에 온 손님들이니까 말
이야. 하지만 저길 좀 봐."

아빠 책벌레는 못마땅하다는 듯 온몸에 있는 대로 주름
을 잡으며 눈짓을 했어요.

"저기, 『쉽게 벼락부자가 되는 법』에서 온 저 양반 말이
야, 허리 한번 펼 새 없이 먹어 대고 있잖소."

아빠 책벌레는 잔치 내내 520쪽의 '속상하다' 방에 처박혀 있었어요. 새로 태어난 아기보다 먹는 데 더 관심을 보이는 손님들이 원망스러울 뿐이었어요.

참다못한 아빠 책벌레는 166쪽으로 기어가 빨간색 포장에 싸인 '꾹'을 꿀꺽꿀꺽 삼켰어요. '꾹'은 '괴로움을 참고 견디는 모양'이라는 뜻의 글자였어요.

새벽이 가까워 오자 엄마 책벌레는 앞뜰에다 후식을 차렸어요. 두꺼운 종이로 된 앞뜰에는 여러 가지 음식이 놓였어요.

야들야들한 종이 위에 조그맣게 새겨진, 꼬불꼬불한 글

자들이 있었고요, 너덜너덜한 한지 위에 시꺼멓게 그려진,
독특한 향내가 나는 그림 같은 글자들도 있었어요.

  책벌레 손님들은 새로운 음식 주위로 몰려들었어요.

  "우리 '사전' 동네에서 가장 오래된 집들에서 가져온 전
통 음식이에요. 오백 년도 더 된 글자도 있답니다."

  엄마 책벌레가 자랑스레 말했어요.

  모여든 책벌레 가운데 하나가 맛을 보더니 탄성을 질렀
어요.

  "음, 정말 신비롭고 색다른 맛이오."

  그러자 '지혜로운 주름'이라는 이름의 책벌레가 말했어요.

“잠깐만요. 이 글자들은 그냥 먹어서는 안 될 것 같군요.”

그러자 모두가 그 책벌레를 바라보았어요.

“이것들을 먹기 전에 그 뜻을 알아보고 머릿속에 담는 것이 책 속에 사는 벌레로서의 예의일 것 같은데, 어떻습니까?”

아빠 책벌레를 비롯한 몇몇 ‘연구파’ 책벌레들이 배를 마구 흔들어 댔어요. 찬성한다는 표시였어요.

“맞아요. 그냥 먹어 없애기에는 아까운 글자들이군요. 주의 깊게 살펴본 다음 먹읍시다.”

아빠 책벌레도 신이 나서 한마디 거들었어요.

“그래요. 그것이 가장 보람 있고 즐거운 일이지요.”

그러자 그 음식을 얼른 갉아 먹고 싶었던 다른 책벌레들이 벌컥 화를 냈어요.

“골치 아픈 연구파 녀석들, 또 잘난 체하고 있네.”

‘게걸스럽다’ 방에서 ‘게걸’까지만 먹다 나온 성미 급

한 책벌레가 소리쳤어요.

"머릿속에 담는 거나 배 속에 담는 거나 다를 게 뭐 있어. 먼저 배가 불러야 글자들도 눈에 들어오지."

그러자 '아구아구'라는 이름의 책벌레가 말했어요.

"맞아. 머리로 느끼는 것보다 입으로 맛보는 것이 더 빠르지."

그러고는 쟁반의 글자들을 움켜쥐더니 잽싸게 삼켜 버렸어요.

다른 '먹자파' 책벌레들도 우르르 몰려들었어요. 깜짝 놀란 '연구파' 책벌레들이 그 글자들을 먹지 못하게 말렸어요.

그러자 먹자파와 연구파 사이에 한바탕 싸움이 벌어졌어요. 책벌레들은 힘껏 배를 내밀어 상대방을 저쪽으로 밀어냈어요. 꼬리를 물어뜯는 책벌레들도 있었어요. 양쪽 다 무슨 뜻인지도 모를 소리로 고래고래 고함을 질러 댔어요.

‘난리’ 방과 ‘법석’ 방이 국어사전에서 찢겨 나왔어요.
잔치가 난리법석으로 엉망이 된 거예요.

그때였어요.

갑자기 주위가 정신없이 흔들리는 것이었어요.

“큰일 났다. 지진이다, 지진!”

요란한 소리와 함께 국어사전이 쭈욱— 뽑히더니 공중
으로 들려 올라갔어요. 순식간의 일이었어요.

앞뜰에 모여 있던 책벌레들은 모두 쭈르륵 차가운 바닥
으로 내동댕이쳐졌어요.

아침 일찍 도서관에 온 여자아이가 오랫동안 먼지를 뒤
집어쓴 채 꽂혀 있던 바로 그 국어사전을 뽑아 든 거예요.

그 여자아이는 사전을 이리저리 뒤적이더니 고개를 갸
우뚱거렸어요. 그러고는 사전을 탁! 소리 나게 내려놓고는
투덜거렸어요.

"이상하다. 글자들이 다 어디로 가 버렸지? 순 엉터리 사전이잖아."

학교에 간 개돌이

밤새 내린 눈이 산골 마을을 하얗게 만들었어요. 눈 덮인 뒷산에서 까치들이 깍깍깍 울어요.

나는 오늘 우리 주인 준우를 따라 학교에 가 보기로 했어요. 준우가 아침마다 가방을 메고 가는 '학교'라는 곳이 무척 궁금했거든요.

준우 어머니는 내가 저수지를 따라 내려가자 돌멩이를 던지며 돌아오라고 소리소리 질렀어요.

"이눔의 개, 얼릉 이리 안 와? 개돌아아."

그래도 나는 준우를 계속 따라갔어요. 랄라라— 멍멍.

아침이면 중학생인 준우 형, 6학년인 준우 누나, 그리고 1학년인 준우가 학교로 가 버리고 준우네 부모님까지 딸기밭 비닐하우스로 가 버리고 나면, 나 혼자 너무 심심하거든요.

준우는 전봇대만 우뚝한 하얀 들판을 신나서 달려가요.

나도 전봇대만 우뚝한 하얀 들판을 신나서 따라갔어요.

준우는 눈 쌓인 징검다리도 잘 건너가요.

나도 눈 쌓인 징검다리를 잘 건너갔어요.

준우는 냇가를 다 건너서야 나를 보았어요. 준우가 눈을 부릅뜨고 말했어요.

"개돌이, 너 후딱 집으로 가. 나는 시방 학교 가는 거여."

"싫당께롱. 나도 학교 가고 싶단 말여, 멍멍."

"하따, 속 썩이네. 개 델꼬 왔다고 선생님한티 혼나면 니가 책임질쳐?"

"나도 하루 종일 집만 지킬라면 얼마나 심심헌 줄 알어? 한 번만 따라갈랑께 나 좀 델꼬 가잉? 멍멍."

나는 꼬리를 흔들며 준우에게 아양을 떨었어요.

그러자 준우는 더 이상 나를 쫓아내지 않고 눈 덮인 보리밭을 가로질러 달리기 시작했어요.

준우네 산골 집에서 학교까지는 꽤 멀었어요. 눈 쌓인 숲 속 길로, 논으로, 밭으로, 우리는 눈을 헤치며 학교에 갔어요.

밤새 내린 눈의 무게를 견디지 못한 생솔가지들이 여기저기 부러져 있었어요. 준우는 솔가지에 쌓인 눈을 긁어 나한테 마구 던졌어요.

"헤헤헤. 야, 재밌다."

"준우, 너 그러지 말어. 하나뿐인 내 털옷 다 젖는단 말여. 낑낑."

준우는 느티나무 옆 비탈길을 책가방을 깔고 눈썰매를 타며 내려가요. 정말 멋진 모습이에요.

"야, 우리 준우 참말로 잘하네이. 멍멍."

나도 신이 나서 비탈길을 데굴데굴 구르며 내려갔어요.

준우는 앞니가 두 개나 빠졌지만 자랑스런 나의 대장이에요.

동네에서 우리 준우만큼 새집 잘 뒤지고, 나무 잘 타고, 구슬치기 잘하고, 다이빙 잘하고, 저수지의 가물치 잘 잡는 아이는 없거든요.

나는 우리 주인 준우가 세상에서 제일 똑똑한 아이라고 생각해요.

준우 덕에 나도 우리 개들 사이에서는 대장이랍니다. 우리 동네에서는 주인이 똑똑하면 그 집 개까지도 다른 개들 앞에서 대장 노릇을 하거든요. 나는 나를 대장으로 만들어 준 우리 준우를 위해서라면 목숨까지도 바칠 각오가 되어 있어요. 진짜예요.

어느새 학교가 있는 읍내까지 다 왔네요. 언젠가 나도 한 번 와 본 적이 있는 큰 마을이에요.

벌써 수업이 시작됐는지 거리에는 학교 가는 아이들이 하나도 보이지 않았어요. 준우랑 나는 더욱 빨리 달렸어요.

준우는 길 옆 낮은 집들의 처마 밑에 달린 고드름을 신발주머니로 치며 달려가요. '투두둑' 땅에 떨어지는 고드름 소리가 음악 소리 같아요.

학교 앞에 도착한 준우는 문구점에 들어갔어요. 그러더니 무언가를 사서 주머니에 넣고 다시 나왔어요.

나는 문 옆에서 얌전히 기다렸다가 다시 준우를 따라 교문으로 들어갔어요.

엄청나게 넓은 학교 마당에는 아이들이 가득했어요. 아이들 떠드는 소리가 마치 수백 마리 새떼가 조잘대는 소리 같았어요. 나는 귀가 멍멍했어요.

준우 반 친구들도 모두 나와 있었어요.

준우는 교실에도 들어가지 않고 아이들이랑 신나게 눈

싸움을 했어요. 나도 신이 나서 눈 위를 구르며 재미있게

놀았어요.

그러다 갑자기 아이들이 하나 둘 교실로 들어갔어요. 그

러나 준우랑 몇몇 아이들은 여전히 남아서 눈을 크게 뭉치

기 시작했어요.

　"야, 1학년 2반 후딱 들어오래."

　한 여자아이가 와서 준우와 친구들에게 말했어요.

　그래도 준우는 들은 척도 않고 눈만 뭉쳤어요.

준우는 아이들이 모두 들어가고 나서야 허겁지겁 뛰어
들어갔어요. 나도 준우를 놓칠까 봐 얼른 따라 들어갔어요.

준우네 교실은 1층 맨끝 동쪽 교실이에요. 준우는 교실
뒷문을 조심조심 열었어요. 나도 얼른 열린 문으로 쏙 들
어갔어요.

그러자 반 아이들이 일제히 뒤돌아보았어요. 그러곤 웅
성대기 시작했어요.

"이야, 개 들어왔네이!"

아이들이 소리쳤어요.

"선생님, 준우네 개가 따라왔어요!"

선생님은 뒷자리의 나를 보더니

깜짝 놀라셨어요.

나도 깜짝 놀랐어요. 하얀 얼굴에

머리가 긴 여선생님이 무척 예뻤거든요.

그런데 예쁜 선생님 얼굴이 갑자기 일그러지더니 소
리를 지르셨어요.

"어메, 뭔 개가 다 교실까지 들어온다냐? 준우 니
네 개냐?"

"예."

"그럼, 집으로 후딱 돌려보내라이?"

"너무 멀어서 혼자는 못 찾아가는디요."

"그려도 밖에서 기다리게 허든지 혀야지. 개랑

37

공부할 수는 없잖여. 안 그냐?"

　준우는 울상이 되어 나를 밖으로 잡아끌었어요.

　나는 나가지 않으려고 했지만 할 수 없이 복도로 끌려

나왔어요.

"개돌이, 너 꼭 운동장에만 있어. 곧 끝나니께, 잉?"

준우는 나를 끌어다 운동장 쪽으로 내보내려 했어요. 나는 몸부림치며 네 다리로 버텼어요.

그러자 준우는 나를 복도에 그냥 둔 채 교실로 다시 들어갔어요.

나는 다시 따뜻한 교실로 들어가고 싶어 문을 박박 긁었어요.

"준우야, 문 열어. 나여, 개돌이여. 낑낑."

하지만 소용없었어요. 이제 할 수 없지요. 복도에서 꼬리나 흔들며 어슬렁거릴 수밖에요.

그런데 복도는 정말 심심한 곳이에요. 한없이 길기만 하고 조용한 게 얼마나 이상한지 몰라요.

나는 가만히 뒷문 옆에 앉았어요. 준우가 나올 때까지 기다리려는 거였어요.

그런데 갑자기 뒷문이 부끄러운 듯 천천히 열리더니 아, 내 주인 준우가 나오는 거였어요.

준우는 눈물을 뚝뚝 흘리고 있었어요.

"복도에 서서 니가 뭘 잘못했는지 천천히 반성혀 봐라 이."

선생님은 그렇게 말씀하시고 나서 뒷문을 '쾅' 닫으셨어요. 준우는 숙제를 해 오지 않은데다, 공부 시간에 장난만 치다 벌을 받게 된 것이었어요.

나는 준우 곁을 맴돌며 반갑게 꼬리를 흔들었어요.

준우는 흘러나온 콧물을 쭈욱 들이마셨어요. 그러고는 주머니에서 손을 꺼내 눈물을 쓱 닦았어요. 손 안에는 비눗방울 장난감이 있었어요.

'준우, 너 아까 문구점에서 산 것이 뭔가 혔더니 이거였구만이. 멍멍.'

준우는 비눗방울을 조용한 복도 가득 '후후' 불기 시작

했어요.

그러자 그 재미없던 복도가 갑자기 너무도 신나는 곳으로 변했어요.

'아, 복도는 애들 비눗방울 불고 장난하며 놀라고 만들어 논 곳인갑다.'

나는 그제야 왜 학교 복도가 기다란지 깨달았어요.

나는 비눗방울을 잡으려고 이리저리 컹컹대며 뛰어다녔어요.

그때 앞문이 벌컥 열리더니 선생님이 다시 나오셨어요.

"박준우. 이 녀석, 벌 서랬더니 장난만 치고. 참말로 용서 못 허겠네. 비눗방울 이리 내."

선생님은 준우와 나를 어떻게 해야 할지 모르겠다는 표정이었어요.

그때였어요.

복도 저 끝에서 웬 대머리 아저씨가 이쪽으로 걸어오고

있었어요. 그러자 선생님은 얼른 나와 준우를 교실 안으로 밀어 넣더니 문을 쾅 닫았어요.

나는 따뜻한 교실로 다시 들어오게 되었어요.

"너 이번에는 진짜 얌전히 있어라이. 교장 선생님 때문에 봐준 거여."

선생님이 준우에게 말씀하셨어요.

그래서 나도 교실에서 준우와 함께 공부란 걸 하게 되었어요. 나는 뒷문 옆의 준우 책상 아래 얌전히 있었어요.

아이들은 작은 걸상에 반듯이 앉아 꼼짝도 하지 않았어요. 모두들 빨갛게 볼이 달아 있었어요.

'야, 우리 준우 이렇게 학교에서 고생하다 오는구나.'

나는 그동안 학교라는 데가 즐겁게 노는 덴 줄만 알았거든요.

책상 아래에서 바라보니 아이들 다리가 오징어 다리처럼 많았어요. 그런데 그 많은 다리들 가운데 가만히 있지

못하고 유난히 흔들어 대는 다리가 있었어요. 실내화도 신지 않고, 양말도 젖어 있었어요.

'밤색 골덴 바지에 검정 양말, 쿵쿵.'

에쿠, 그 아이는 바로 준우였어요. 우리 준우만 실내화를 신고 있지 않았던 거예요. 다른 아이들은 따뜻한 실내화도 많이 신었는데……

준우의 양말은 엄지발가락에 구멍이 나 있었어요. 나는 가만히 준우에게 소곤거렸어요.

'준우야, 엄마보고 이번에 딸기 따면 털 실내화 하나 사 달라고 허자잉? 낑낑.'

마룻바닥에 닿는 그 느낌이 차가운 걸까요. 준우는 자꾸

엄지발가락을 꼼지락거렸어요.

　나는 더 이상 가만히 있을 수가 없었

어요. 준우의 차가운 발가락을 내 혓바

닥으로 쓱쓱 핥아 주었어요. 고물고물 움

직이는 준우의 발가락은 귀여웠어요.

　그런데 갑자기 준우가 내 머리를 '쿡' 쥐어박으

며 소곤거렸어요.

　"간지럽당께. 임마, 가만히 좀 있어라이. 너 또 쫓겨날래?"

　그래서 나는 준우 발을 떠나 책상 밑의 다른 아이들 발

사이를 헤집고 다니기 시작했어요.

　그러자 아이들이 소리쳤어요.

"선생님, 준우네 개가 자꾸 돌아댕겨요."

"준우네 개 땀시 공부 못 하겠어요."

아이들은 나를 바라보랴, 공부하랴 바빴어요.

"준우야, 니네 개한티 또 시끄럽게 굴면 진짜로 추운 운
동장으로 쫓아내 버린다고 전해라이?"

선생님이 칠판에 무언가를 가득 적으며 무섭게 말했어
요. 나는 얌전히 준우 옆에 있었어요.

그런데 가만히 보니까 선생님은 아이들이 글씨 쓰느라

고 고개를 안 들 때, 준우한테서 빼앗은 비눗방울을 '후
후' 하고 불어 보는 거예요. 선생님도 비눗방울 놀이를 좋
아하나 봐요.

준우는 그것도 모르고 삐뚤빼뚤 글씨만 쓰고 있었어요.

오늘 보니 우리 주인 준우는 공부를 조금 못하나 봐요.
더하기 빼기도 모른다고 선생님에게 혼나더니, 아직도 글
을 잘 못 읽는다고 또 혼나는 거였어요.

학교에서는 준우가 대장이 아닌가 봐요. 받아쓰기도 날
마다 빵점만 받고, 말썽만 부리다 벌만 받는 개구쟁이였던
거예요.

나는 믿을 수가 없었어요. 동네에서 놀 때는 우리 준우
가 무엇이든 잘하는 대장이었는데……

물수제비도 잘 뜨고, 팽이도 잘 돌리고, 개구리도 제일
많이 잡았거든요. 동네 사람들은 준우보고 어린 게 야무지
고 똘똘하다고 늘 칭찬하는데…… 그런 것들은 학교 공부

에는 아무 쓸모도 없나 봐요.

셋째 시간이 되자 아이들은 즐거운 표정으로 무언가를 꺼냈어요.

아! 그건 내가 좋아하는 라면이에요. 멍멍. 특히 나는 매콤시원한 라면 국물을 제일 좋아해요. 나는 너무 좋아서 꼬리를 마구 흔들었어요.

그런데 준우 책상에는 아무것도 놓여 있지 않았어요.

"준우 너는 컵라면 준비 안 혀왔냐?"

선생님이 물었어요.

"엄마가 라면 살 돈 안 줬는디요."

"그럼, 비눗방울 살 돈은 주셨고?"

준우는 더 이상 아무 말도 못했어요. 준우는 어머니가 컵라면 사라고 주신 돈으로 비눗방울을 사 버린 거예요.

선생님은 아이들 사이로 다니며 난로에 있던 뜨거운 주전자 물을 라면 그릇에 부어 주셨어요.

"자, 맛있게 먹어라이. 국물 뜨건께 조심허고."

선생님이 누나처럼 말씀하셨어요.

나랑 준우는 먹고 싶어서 아이들만 바라보았어요.

오늘은 준우네 반이 라면을 끓여 먹기로 한 날이었던 거

예요.

선생님은 준우에게 미리
준비한 라면을 주셨어요.

"준우 너 또 학교 오면서
장난감 사면 니네 엄마한티
일른다."

하시면서요.

준우는 아이들과 함께 후루룩거리며 신나게 먹기 시작
했어요. 맛있는 라면 냄새가 따뜻한 교실에 가득했어요.

나는 준우 손과 입만 뚫어지게 바라보았어요. 그런데 준
우는 국물까지 '후루룩' 다 마셔 버리는 거예요. 나는 하
나도 안 주고……

나는 속상했어요. 멍멍.

그런데 선생님이 아이들에게 말씀하셨어요.

"라면 국물 남은 사람 이리 가져와요."

아이들은 라면 그릇을 들고 앞으로 나왔어요. 선생님은

그 국물을 한데 담아 내게 주셨어요. 그래서 나도 맛있게 먹었어요.

창밖 나뭇가지에는 하얗게 눈이 쌓였는데, 따뜻한 교실에서 먹는 라면은 정말 맛있었어요.

"선생님, 고맙습니다. 멍멍."

나는 다 먹고 나서 선생님께 공손히 인사도 했어요.

나는 선생님이 좋아졌어요. 준우를 혼낼 때는 미웠지만……

학교가 끝나자 준우랑 나는 운동장으로 뛰어나갔어요.

눈이 또다시 펑펑 내리고 있었어요. 우리는 눈을 맞으며 교문 밖으로 나왔어요.

"자, 집까지 달리기 시합하는 거다."

라면을 먹어 힘이 나는지 준우는 힘차게 소리치며 뛰어갔어요.

교문 밖에서 준우는 다시 나의 대장이 되었어요. 달리기

도 잘하고 목소리도 제일 크니까요. 역시 준우는 우리 대
장이에요.

나도 덩달아 눈 위를 힘차게 달려가며 생각했어요.

'공부하는 건 쉽지 않지만, 친구들도 있고 라면도 먹고,
학교는 좋은 데구나. 내일 또 준우 따라가야지. 랄라라—
멍멍.'

소중한 아이

　나는 내가 소중해요. 우리 반 친구들은 2학년이 다 가도록 구구단도 못 외는 바보라고 놀려 대지만요.

　나는 내가 소중해요. 항상 준비물도 못 가져가 같은 모둠 아이들한테 미움만 받지만요.

　나는 내가 소중해졌어요. 비록 할머니와 둘이서만 살지만요.

　그런데 우리 할머니는 글씨를 잘 못 읽으세요. 까막눈이

래요.

전기 요금 고지서가 나오면 내게 건네주며 말씀하세요.

"진복아, 이것 좀 읽어 봐라."

그러면 나는 할머니가 주신 고지서를 받아 들고 큰 소리로 읽습니다.

"할머니, 오천삼백 원이래요."

할머니는 장에 내다 팔 푸성귀를 머리에서 내려놓고, 돈을 꺼내시며 두런거립니다.

"단둘만 사는 집 전기세가 왜 그리도 많이 나오는지 모르겠다."

나는 할머니가 주신 전기 요금을 들고 학교에 갑니다.

할머니는 내게 전기세나 전화 요금 심부름을 잘 시키세요. 나는 구구단은 잘 못 외지만 돈 계산만은 번개처럼 잽싸게 잘해요.

그래서 우리 할머니는 자랑스럽게 말씀하시곤 해요.

"우리 영리한 손녀딸 좀 봐.
이 할미가 아무 걱정 안 해도
되겠네."

영리한 손녀딸은 오천삼백
원을 주머니에 넣고는 구멍가
게에 가서 과자부터 삽니다.

나는 오늘 할머니에게 오백
원을 더 불려 말한 거예요. 하
지만 며칠 전부터 이 과자가
얼마나 먹고 싶었는지 몰라요.

나는 얼른 봉지를 뜯어 과자
한 개를 입 안에 넣었어요. 과
자는 부드럽고 달았어요.

나는 남은 과자 한 개를 주
머니에 넣고 얼른 학교로 달려

갔어요.

첫 시간은 '슬기로운 생활'이에요. 실전화기를 만들기로 한 시간입니다. 실전화기는 기다란 실의 양쪽 끝에 종이컵을 매달아 만드는 거예요.

"자, 신나는 시간이지?"

선생님 혼자만 신나는 목소리로 말씀하세요.

그러나 나는 하나도 신나지 않아요.

우리 할머니는 한 번도 내 준비물을 챙겨 주지 못하셨어요. 그래도 선생님은 화도 안 내고 엄마같이 늘 웃어 주시는 좋은 분이에요.

내 짝꿍 민지가 말합니다.

"임진복, 너 오늘도 준비물 안 가져왔지? 바보 멍청이, 미워 죽겠어."

"……"

나는 아무 말도 못 합니다.

실전화기를 다 만든 우리는 모두 운동장으로 나갑니다.

나는 주머니 속의 과자를 만지작거립니다. 더 부서지기 전에 얼른 먹어야 하는데……

운동장 한가운데서 선생님이 말씀하십니다.

"여기서 짝꿍과 함께 자유롭게 실전화기 놀이를 해 보는 거예요."

그러자 곁에 서 있던 민지는 자기 실전화기를 들고 옆에 있는 미정이에게 갑니다. 나는 쏙 빼놓고요.

"미정아, 나랑 같이 전화기 놀이 하자."

미정이는 좋아서 그러자고 반깁니다. 둘은 서로 민지의 실전화기 종이컵을 하나씩 귀에다 대고 속삭입니다.

"여보세요. 미정아, 잘 들리니?"

"응. 말해 봐, 민지야."

"와, 신기하네. 진짜 전화같이 잘 들려."

둘은 깔깔대고 웃으며 전화기 놀이를 합니다.

아이들은 모두 여기저기서 즐겁게 전화기 놀이를 합니다. 실전화기를 들고 재잘거리는 소리가 내 귀에는 따갑게만 들립니다.

선생님은 다정하게 웃으시며 아이들 주위를 돌아다닙니다. 마치 엄마 닭과 병아리들 같아요. 나는 미운 오리 새끼처럼 가만히 서 있었어요.

그러다 나는 다시 민지에게 다가갑니다.

민지는 저만치 떨어져 서 있는 미정이에게 아주 작은 목소리로 소곤소곤 이야기를 합니다.

"미정아, 내일이 내 생일이야. 우리 집에 꼭 와. 생일잔치가 끝나면 놀이동산에도 데려가 준댔어, 우리 아빠가."

그러자 놀랍게도 멀리 있는 미정이가 그 소리를 알아듣고 활짝 웃으며 큰 소리로 이쪽을 향해 소리칩니다.

"알았어, 꼭 갈게."

나는 너무나 신기했어요. 꼭 요술을 부리는 것 같아요.

어떻게 저런 가느다란 실 한 줄이 서로의 말을 전해 주는 것일까요?

지켜보던 나도 전화기 놀이가 무척 하고 싶어졌어요. 나는 민지에게 용기를 내어 말했어요.

"민지야, 나도 좀 해 보자."

민지가 힐끗 나를 돌아보았어요. 그러곤 못 들은 척 고개를 휙 돌려 버립니다.

"있잖아, 그러면 내가 맛있는 과자 줄게."

그러자 민지가 다시 나를 바라보았어요.

"과자? 뭔데?"

나는 아깝지만 주머니에 있던 과자를 꺼냈어요. 과자는 많이 바스러져 있었어요.

"오늘 아침에 샀는데 안 먹고 아껴 둔 거야. 이거 너 줄게."

"치, 그까짓 거. 우리 엄마는 날마다 그것보다 더 맛있는 걸 만들어 준다."

"아니야, 이것도 맛있어."

나는 군침을 삼키며 말했어요.

"필요 없어, 저리 가. 거지 같은 게……"

민지가 나를 밀쳐 냈어요.

그 바람에 내 손에 있던 과자가 땅에 떨어졌어요. 나는
얼른 그 과자를 집어 들었어요. 하지만 이미 과자는 흙범
벅이 되어서 먹을 수가 없었어요.

나는 눈물이 핑 돌았어요.

"왜 밀어? 왜 밀어? 안 먹으려면 말지."

나는 민지에게 막 따졌어요.

그러자 민지는 선생님을 향해 소리쳤어요.

"선생님, 진복이가 학교에 과자 가져와서 먹었대―요."

선생님이 우리 곁으로 달려오셨어요. 그리고 내 손에 들
려 있는 흙 묻은 과자를 보시곤 얼굴을 찌푸리셨어요.

민지는 신이 나서 선생님께 일러바쳐요.

"준비물도 안 가져와 놓고는 나보고 전화기 놀이 한 번만 시켜 주면 과자 준다고 꼬드겼어요."

나는 고개를 푹 숙였어요. 아마 선생님도 날 용서하지 않으실 거예요. 눈물이 한 방울 '뚝' 하고 땅으로 떨어졌어요.

그런데 선생님은 그런 나를 한참 동안 물끄러미 바라보시더니 민지에게 말씀하시는 거예요.

"민지야, 잠깐만 전화기 좀 빌려 줄래?"

선생님은 민지의 전화기를 빌렸어요. 그러더니 내 귀에 그 실전화기 끝의 종이컵 하나를 대 주셨어요. 그러곤 다른 종이컵 하나를 들고 앞으로 걸어가십니다. 선생님은 저만치 운동장 가운데에 섰습니다.

나는 눈물을 닦고 종이컵 전화기를 귀에 바짝 댔어요. 늘어져 있던 실이 팽팽해졌어요.

그러자 놀랍게도 저쪽에 서 계신 선생님의 목소리가 똑똑히 내 귓속으로 들어왔어요. 바로 내 옆에서 말하는 것처럼 들려요.

"진복아, 내 말 들리니?"

나는 얼른 종이컵을 입에 대고 대답했어요.

"네."

"그럼, 우리 재미있는 놀이 하자. 내가 수수께끼를 낼 테니 알아맞혀 봐."

선생님이 장난스레 웃으며 말씀하셨어요.

"네."

우리는 실전화기를 입과 귀에 번갈아 대 가며 수수께끼 놀이를 합니다.

"진복이네 할머니가 제일 좋아하는, 하나밖에 없는 손녀딸이 누구게?"

나는 배시시 웃었어요. 그건 너무 쉬운 문제거든요.

나는 얼른 실전화기에 대고 말했어요.

"나예요."

"맞았어. 그럼 다음 문제다. 잘 들어 봐."

"구구단이나 글 읽기는 잘 못하지만 귀엽고 착한 아이는 누구게?"

"그것도 나예요."

나는 또 신이 나서 대답했어요. 우리 반에서 아직까지도 구구단 외우기와 읽기를 잘 못하는 아이는 나 하나뿐이거든요. 이렇게 쉬운 수수께끼라면 얼마든지 자신 있겠어요.

아이들이 하나 둘 선생님과 내 주위로 몰려들기 시작했어요.

나는 기분이 좋아서 몸이 붕붕 떠오르는 것 같았어요.

그런데 선생님은 또 다른 문제를 내셨어요.

"준비물은 못 가져왔지만 선생님이 사랑하는 아이가 누구게?"

그건 조금 어려운 수수께끼였어요.

누구지? 선생님이 사랑하는 아이라니. 이번에는 쉽게 대답을 못 했어요.

그러자 선생님은 아이들에게는 안 들리도록 작은 목소리로 말했어요.

"그건 바로 임진복 너야."

나는 침을 '꼴딱' 삼켰어요.

선생님이 다시 전화기 저쪽에서 나를 보고 웃으며 속삭여 주셨어요.

"이건 비밀인데 너만 알고 있어야 돼."

나는 몹시 궁금해졌어요. 무얼까? 비밀이라니. 나는 실전화기를 귀에 바싹 갖다 댔어요.

"진복아, 선생님은 네가 좋단다. 너는 정말 귀하고 소중한 아이야."

그 소리는 가느다란 실을 타고 내 귓속으로만 물처럼 쏙 흘러들어 왔어요.

빙 둘러선 아이들은 하나도 그 소리를 듣지 못했을 거예요.

모래 마을 아이들

"얼른얼른, 빨리빨리."

엄마가 진이를 밖으로 밀어내며 말했어요.

진이는 집에서 쫓겨나듯이 허겁지겁 나옵니다. 진이는 금방 서예 학원에서 돌아왔어요. 그런데 엄마는 또 진이를 영어 학원으로 몰아냅니다. 겨우 우유 한 잔 먹여서 말이에요.

진이는 아파트 상가에 있는 영어 학원으로 갑니다. 영어 수업이 끝나자 네 시 삼십 분이 되었어요.

네 시 삼십 분은 진이가 제일 좋아하는 시간이
에요. 텔레비전에서 만화 영화 할 시간이거든요.

하지만 진이는 텔레비전 볼 시간이 없어요. 그래서
친구들이 학교에서 만화 영화 이야기를 할 때면
아무 말도 못 합니다. 그러나 수학
학습지는 누구보다 빨리 풀
수 있어요.

엄마는 그게 다 진이를 위한
일이라고 해요. 훌륭한 사람이
되라고 그러는 거래요.

'그러면 엄마가 나
대신 문제 풀면 되잖아.
엄마가 훌륭한 사람이 되면
나를 이렇게 괴롭히진 않을 거야.'

진이는 속상해서 혼자 중얼거려요.

이제 진이는 바이올린 학원으로 가요. 영어 학원이 끝나고 바로 가는 거예요. 어깨는 처지고 발걸음은 점점 무거워졌어요.

그러다 진이는 아파트 놀이터 앞에서 가만히 발길을 멈추었어요. 아이들이 신나게 놀고 있어요. 저녁 해님이 부드럽게 아이들을 감싸고 있네요.

진이는 부러운 눈길로 바라봅니다. 그러고는 속으로 소리쳤어요.

'얘들아, 지금 만화 영화 할 시간이야. 어서 가서 나 대신 좀 봐 줘.'

진이는 그 아이들한테 가고 싶었어요. 만화 영화에 나오는 날개 달린 요정처럼 훨훨 날아서요. 그러나 놀이터 주변에는 사방으로 낮은 철담이 둘러쳐 있었어요.

갑자기 진이는 슬퍼졌어요.

"괜찮아, 어서 빨리 와."

미끄럼틀이 진이에게 말했어요.

"모두 너를 기다리고 있단다."

시소도 기우뚱거리며 어서 오라고 말했어요.

진이는 마침내 담을 넘었어요.

엄마의 화난 얼굴이 떠올라요. 학원 선생님의 얼굴도 떠올라요.

그러나 그 어느 것도 진이를 막지는 못했어요.

'나도 놀 거야.'

진이는 아이들 속으로 뛰어갔어요. 그러자 기다렸다는 듯이 해님이 진이를 따뜻하게 감싸 주었어요.

아이들 속으로 들어가 보니 구경할 때보다 더 재미있었어요.

진이는 머리칼이 온통 땀에 젖도록 신나게 놀았어요. 그러다가 한 아이가 소리쳤어요.

"우리 모래 마을 만들자."

"모래 마을?"

"그래, 우리끼리 마을을 만드는 거야."

"우아, 그것 재미있겠다."

"엄마들은 못 오게 하자."

"좋았어."

진이가 제일 크게 대답했어요.

모두 신이 났어요.

아이들은 모두 어울려 커다란 모래

마을을 만들기 시작했어요.

진이의 볼은 더 발그레 물들고, 머리칼은 땀에 흠뻑 젖었어요.

비닐봉지에 물을 떠 오고, 모래를 퍼 날랐어요. 작은 풀과 돌멩이도 모았어요. 모래 언덕도 만들고, 작은 길도 만들었어요. 예쁜 집을 만들고, 빵집과 장난감 가게도 만들었어요. 과자 가게와 아이스크림 가게도 생겨났어요.

작고 귀여운 집들이 뭉게구름처럼 자꾸자꾸 생겨났어요. 모래 마을이 된 거예요.

넓은 운동장이 있는 학교도 만들었어요. 학교 안에는 멋진 풀장도 있어요.

"야, 신난다. 풀장에 물도 채워야지."

아이들은 수영하는 흉내를 내며 푸푸 입김을 불었어요.

"돌고래도 살게 하자."

"그리고 장난감 가게는 더 크게 만드는 거야."

"만세, 우리 세상이다."

아이들은 서로 얼싸안고 춤을 추었어요. 아이들은 모래 마을에서 재미있게 놀았어요.

날이 조금씩 어두워지기 시작했어요.

늑장 부리던 해님이 급히 놀이터 뒤 낮은 산으로 넘어가 버렸어요.

아이들도 하나 둘 집으로 돌아갔어요. 엄마들이 와서 데려간 거예요.

놀이터에는 이제 진이만 남았어요.

진이는 왠지 무섭고 슬프기까지 했어요. 하지만 금세 다시 신이 났어요. 이 넓은 모래 마을이 진이 차지가 된 거예요. 진이는 혼자서 노래를 불렀어요.

진이는 두 손으로 모래를 움켜쥐었어요. 부드러운 모래가 너무 좋아요. 손가락 사이로 자꾸 주르륵 빠져나가는 모래알들이 귀여웠어요.

"도망가지 마, 응? 나랑 놀자."

진이가 말했어요. 그래도 모래알들은 자꾸 도망갔어요.

그때였어요.

모래 마을의 골목길을 돌아 나오는 한 아이가 있었어요.

모래로 만들어진 그 아이는 모래로 만든 자전거를 타고 휘파람을 불며 갔어요. 휘파람 소리는 푸른 연기처럼 하늘로 올라갔어요.

진이는 그 아이를 따라갔어요.

아이는 신나게 모래 마을을 한 바퀴 돌더니 다시 작은 골목길로 들어갔어요. 진이도 그 아이를 따라 작은 골목길로 들어갔어요. 자전거를 따라가려니 헉헉 숨이 찼어요. 힘이 들었어요.

그런데 무릎 아래로 똑같은 모양의 집들이 지나갔어요. 그만 길을 잃은 거예요. 진이는 잠시 서서 그 집들을 바라보았어요.

"이상하네. 우리가 만든 집이 아닌데."

진이는 깜짝 놀랐어요. 그건 끝없이 이어진 학원들이었어요.

피아노 학원, 영어 학원, 서예 학원, 미술 학원, 속셈 학원, 글짓기 학원, 컴퓨터 학원, 바이올린 학원, 그리고 태권도 도장도 있었어요.

진이는 얼른 주위를 두리번거렸어요. 혹시 엄마가 있나 하고요.

엄마가 보면 얼씨구나 하고 좋아할 거예요.

"이런 학원도 있었어? 몰랐네. 당장 보내야지."
하고 말예요.

단단히 버티고 선 학원들이 진이를 가로막았어요. 진이는 그만 자전거를 탄 아이를 놓치고 말았어요.

거인 같은 학원 건물들이 무서운 목소리로 말했어요.

"너로구나, 오늘 학원 빼먹은 아이가. 이놈, 단단히 혼좀 나야겠어."

그건 무서운 엄마의 목소리 같기도 했어요.

"용서해 주세요."

진이는 울상을 지으며 돌아서서 도망을 쳤어요.

그러자 거인이 쑥— 앞으로 뻗어 나오더니 진이를 잡고는 말했어요.

"어딜 도망가려고. 빠져나가려면 이 문제들을 풀어야 해."

거인은 무언가를 내밀었어요.

진이는 무얼까 하고 보았어요.

"이거 다섯 장만 풀면 보내 주지."

아이, 시시해. 그건 학습지 문제들이었어요.

진이는 히히 웃었어요. 진이가 날마다 학습지를 풀어 대는 '학습지 대장'이란 걸 몰랐나 봐요.

진이는 잽싸게 풀어 내밀었어요.

그러자 거인은 깜짝 놀라며 말했어요.

"정말 대단한 아이구나. 이렇게 빨리 푸는 아이는 처음 봤네. 할 수 없지. 약속이니 보내 줄 수밖에."

거인은 진이를 놓아주었어요.

진이는 얼른 돌아서서 그곳을 빠져나왔어요.

진이는 다시 자전거를 탄 아이를 찾아 두리번거렸어요.

그런데 모퉁이를 돌자 아주 아름다운 모래 집이 서 있었어요.

진이는 그 집을 가만히 바라보았어요.

버섯 모양의 지붕이랑 둥근 창이 있는 신기한 집이에요. 동화에서처럼 금방이라도 요술 담요를 탄 사람이 날아오를 것 같아요.

대문 앞에는 조금 전의 그 자전거가 서 있었어요. 진이는 반가워서 창을 통해 집 안을 들여다보았어요.

그 안에는 아이들이 많이 있었어요. 모두 모여 텔레비전을 보고 있었어요. 진이가 그토록 좋아하는 만화 영화를요.

벽에 걸린 시계는 네 시 삼십 분을 가리키고 있어요. 진이가 제일 좋아하는 바로 그 시간을요.

그때였어요.

문이 열리더니 자전거를 타던 그 아이가 나왔어요.

"안녕?"

"응, 안녕?"

"나도 여기서 만화 영화 봐도 되니?"

"그럼, 얼마든지. 여긴 우리들만의 집이야."

진이는 다시 물었어요.

"서예랑 수영이랑 컴퓨터 같은 거 안 하고 봐도 되는 거야?"

"그럼."

"저어, 나 오늘 바이올린 학원도 빼먹었거든. 그래도 괜찮아?"

진이는 불안한 목소리로 또 물었어요.

"그런 건 걱정할 필요 없어. 자, 어서 들어와."

진이는 얼른얼른 빨리빨리 들어갔어요. 만화 영화가 끝나면 안 되니까요.

"너도 엄마가 없나 보구나. 그렇게 옷을 더럽혀도 되는 걸 보니."

진이 옷에 모래가 잔뜩 묻은 것을 보더니 그 아이가 말했어요.

진이는 고개를 끄덕였어요. 이런 거짓말을 한 걸 엄마가 알면 속상해하겠지요.

하지만 진이는 그 애가 마음에 들었어요. 그래서 또 다른 거짓말을 지어냈어요.

"나는 아빠도 없어, 고아야."

그러고 보니 자기가 정말 고아처럼 느껴졌어요. 그래서 쿨쩍쿨쩍 울기 시작했어요.

그 아이가 달래듯이 말했어요.

"그럼 너도 우리랑 진짜 친구가 될 수 있어. 여기 있는 아이들도 모두 엄마 아빠가 없거든."

"야, 그럼 너희는 학원에 가지 않겠구나."

진이는 그 아이들이 부러웠어요.

진이는 모래 마을 아이들과 함께 만화 영화를 보았어요. 아이들이 깔깔깔 웃으며 머리칼을 흔들 때마다 모래알이 버석버석 떨어졌어요.

"이것 좀 먹어 봐."

모래 아이가 과자를 가져왔어요. 알록달록한 색깔의 불량 과자들이었어요. 다른 아이들이 사 먹을 때마다 진이도 얼마나 먹고 싶었는지 몰라요.

"와, 정말 맛있다."

진이가 소리쳤어요.

이렇게 맛있으니까 어른들이 못 먹게 했나 봐요. 자기들끼리만 먹으려고.

그렇게 한참을 놀았어요. 하지만 시계는 여전히 네 시 삼십 분을 가리키고 있었어요.

그래도 진이는 그 집에서 나왔어요. 너무 많이 논 것 같았거든요.

"안녕, 잘 가."

"그래, 정말 재미있었어."

진이는 길모퉁이를 되돌아 나왔어요.

주위엔 벌써 어둠이 많이 내렸어요.

그런데 모래 마을의 골목길로 들어서자 또 그 학원 건물들이 진이 앞에 떡 버티고 서 있었어요.

"학습지 다섯 장만 풀면 보내 줄……"

그 말이 끝나기도 전에 진이는 그 모래 학원들을 발로 쓱쓱 문질러 무너뜨렸어요.

"치, 겨우 모래 학원 주제에 뽐내기는."

진이가 으스대며 말했어요.

그런데 그 뒤에는 더 커다란 거인이 떡 버티고 서 있었어요. 진이는 고개를 들고 올려다보았어요. 가슴이 쿵 내려앉았어요.

엄마였어요. 바이올린 선생님이 엄마에게 전화를 했나
봐요.

"너 학원 빼먹고 여기서 놀고 있었니?"

엄마가 진이 옷의 모래를 털어 대며 무서운 얼굴로 말했
어요.

"엄마, 그래도 나 학습지 잘 푼다고 모래 마을 거인한테
칭찬받았어."

진이는 자랑스럽게 말했어요.

"얘가 옷은 이렇게 더럽혀 놓고 무슨 소리야. 엄마가 얼
마나 걱정했는지 알아? 너 집에 가서 봐."

진이는 힘없이 엄마를 따라갑니다.

이제 혼날 일만 남았어요.

진이는 어둠이 내려앉은 놀이터를 가만히 뒤돌아보았어
요. 아, 그런데 놀이터에는 모래 마을 아이들이 모두 나와
서 있는 거예요. 모두 걱정스런 얼굴로 진이를 지켜보고

있었어요.

진이는 친구가 있다는 걸 깜빡 잊을 뻔했네요. 진이는 다시 씩씩해졌어요. 그러고는 가만가만 그 아이들에게 속 삭였어요.

'애들아, 기다려. 내일 또 놀자.'

문이 열리면

"오빠, 무서워."

다섯 살 난 동생이 말했어요.

"괜찮아. 오빠가 지켜 줄게."

오빠는 일곱 살이거든요.

"나, 나가서 놀고 싶어."

동생은 굳게 잠긴 방문을 보며 말합니다. 오빠와 동생은
밖으로 나가고 싶습니다. 겨울 바람 속에서 볼이 빨개지도

록 뛰놀고 싶습니다.

하지만 소용없는 일이라는 걸 잘 압니다.

"오빠랑 숨바꼭질하자."

오빠가 의젓하게 말합니다.

둘만 집에 있는 것은 무섭지만 엄마가 오실 때까지는 참아야 해요.

엄마는 저 아래 전봇대 밑에서 어묵이랑 국수를 팝니다. 밤이면 엄마가 팔다 남겨 오는 어묵을 먹을 수가 있습니다. 엄마는 아이들을 놀이방에 맡길 형편이 안 된다는군요. 그래서 날마다 문을 잠그고 가는 거래요.

오빠랑 동생은 집 안에서도 재미있게 놀 줄 알아요.

둘은 비좁은 방 안에서 숨바꼭질을 합니다. 동생은 머리에 이불을 뒤집어쓰고 말합니다.

"나, 숨었다. 찾아 ― 라."

오빠는 그런 동생을 일부러 못 본 체합니다.

"어디 숨었지?"

여기저기 다른 곳을 찾는 시늉을 합니다. 그러면 동생은
더 이상 참지 못하고 소리칩니다.

"오빠, 나 여기 있잖아!"

"아, 거기 있었구나. 나는 나무인 줄 알았네."

"헤헤. 오빠, 내가 나무라고? 그럼 우리 나무 놀이 하자."

나무 놀이는 오빠와 동생이 제일 좋아하는 놀이예요. 둘
은 방구석에 놓인 옷장 속으로 들어갑니다. 옷장 문은 둘
만의 놀이터로 가는 비밀의 문이었던 것입니다.

옷장 속에 걸린 옷은 나무로 변합니다. 오빠와 동생은
나무 사이를 헤매고 다닙니다. 깊은 숲입니다. 솔바람이
휘―잉 붑니다.

"나무를 잘라 내고 새로 심자."

옷장 속의 옷이란 옷은 죄다 밖으로 던져 버립니다. 베
어진 나무처럼 옷들이 방바닥에 쌓입니다.

숲 속에서 이제 오빠는 한 그루 사과나무입니다. 아침에
엄마가 먹으라고 놓고 가신 사과 두 개를 매달고 있어요.
동생은 노란 부리를 가진 수다쟁이 새가 되었고요. 노란

부리 새는 좀처럼 가만있지 못하고 오빠의 머리를 마구 헤집어 놓습니다.

오빠 나무가 말합니다.

"아기 새야, 자꾸 그러면 내 사과가 떨어져요."

그러자 동생 새는 두 팔을 흔들며 말합니다.

"그럼 나 하늘로 날아가 버린다. 밖으로 날아가서 놀이터랑 골목길이랑 보고 올 거야."

"그래, 친구들이 뭐하고 노나, 엄마 뭐하고 있나 보고 와."

동생은 옷장 속이 놀이터와 골목길인 것처럼 휘젓고 다닙니다.

오빠 사과나무가 머리를 흔들자 사과 열매가 떨어집니다. 동생이 얼른 사과를 줍습니다.

붉은 사과를 한 입 베어 무니 단물이 뚝뚝 떨어집니다. 둘은 옷장에서 나와 사과를 사이좋게 하나씩 나누어 먹습니다. 엄마가 놓고 간 사과는 이제 하나도 남아 있지 않습니다.

그러나 엄마가 오시려면 아직도 멀었습니다. 창밖에는 바람이 머리카락을 정신없이 휘날리며 돌아다닙니다. 날은 점점 어두워집니다. 오빠랑 동생은 조금씩 무서워집니다.

"오빠, 엄마는 언제 와?"

"국수랑 어묵이 다 팔려야 오지."

"나 엄마 마중 나가고 싶다."

"나도 그래."

오빠랑 동생은 잠긴 문을 바라봅니다. 방 안에서는 나무랑 새도 되고, 훨훨 날아다닐 수도 있지만 닫힌 문 밖으로는 단 한 발짝도 나갈 수 없습니다.

창문이 움직이는 기차에서처럼 덜컹거립니다. 오빠는 차라리 바람이 더 불어 주었으면 하고 생각합니다.

지붕과 벽이 바람의 손을 잡고 어디론가 날아가 버리면

그 안에 갇혀 있던 오빠랑 동생도 밖으로 나갈 수 있겠지요.

"오빠, 금방 무슨 소리가 났어."

"바람 소리야."

"무서워."

"괜찮아. 엄마가 바람은 우리 집의 좋은 친구랬어. 바람이 불어야 엄마 장사도 잘 된다고."

그때였어요. 누군가가 문을 쿵쿵 두드리는 소리가 났어요. 그러자 오빠와 동생의 가슴도 쿵쿵 뛰었어요.

"오빠, 엄마다, 엄마야. 이제 문이 열릴 거야."

동생이 큰 소리로 신이 나서 말합니다.

"쉿! 조용히 해. 엄마가 아니야."

오빠는 누가 와서 문을 두드려도 아무 소리 말라던 엄마의 말을 기억해 냅니다.

"안에 아무도 없어요?"

밖에서 문을 두드리던 사람이 말합니다.

"봐, 우리 엄마 목소리가 아니지?"

오빠가 소곤거립니다. 동생은 슬픈 얼굴로 문을 바라봅니다. 그런데 문 밑으로 종이 한 장이 쑥 들어옵니다.

오빠가 가만히 가서 종이를 집어 옵니다. 그러고는 더듬더듬 종이의 글을 읽어 나갑니다.

"신, 장, 개, 업, 신, 속, 배, 달, 북, 경, 반, 점."

오빠는 그 소리가 무슨 뜻인지 알 수는 없습니다. 그러나 종이에 찍힌 화려한 사진 속의 음식들을 보니 배가 고파집니다.

그래서 둘은 방바닥에 밥과 김치를 놓고 저녁을 먹습니다.

동생은 방바닥이 파란 잔디밭이라고 생각합니다. 그래서 신나는 목소리로 말합니다.

"오빠, 우리 지금 소풍 온 거지. 그치?"

오빠는 아무 말도 안 하고 동생 숟가락에 김치를 얹어 줍니다. 착한 동생은 매운 김치도 잘 먹습니다. 반찬 투정도 하지 않습니다.

"아, 자──알 먹었다."

밥을 먹고 나서 오빠랑 동생은 텔레비전을 켭니다.

갑자기 둘만 있던 방 안이 시끄러워졌습니다. 둘은 이제 아무 말도 안 하고, 재미있는 놀이도 그만두고, 텔레비전만 바라봅니다.

요즘 오빠는 조금씩 텔레비전이 재미있어집니다. 그래서 시간이 날 때마다 텔레비전 앞에 앉아 있습니다.

노래가 끝나자 광고가 시작됩니다. 온갖 것들이 화려하게 나타났다가는 비눗방울이 터지듯 사라져 버립니다. 신기한 장난감, 옷, 맛있는 음식까지.

오빠는 그 모든 것을 갖고 싶습니다. 그러나 방 안 어디에도 텔레비전 속의 물건들은 하나도 없습니다.

"오빠, 나 졸려."

말없이 앉아 텔레비전을 보던 동생이 토끼처럼 두 눈을

비빕니다.

이제 둘은 잠을 자기로 합니다. 잠을 자는 것은 오빠와 동생이 아끼며 남겨 둔 마지막 놀이예요. 잠을 자면 시간도 빨리 가고 엄마가 오시기 때문입니다. 그런데 자는 줄 알았던 동생이 울먹이며 말합니다.

"오빠, 문은 언제 열려?"

문이 열리면 그리운 엄마가 옵니다.

"자고 있으면 열릴 거야. 그러니까 얼른 자자."

동생은 도로 눈을 감습니다. 금세
속눈썹이 촉촉하게 젖더니 눈물이 볼
위로 흘러내립니다. 오빠도 그런 동
생을 보니 눈물이 비죽 나왔어요.

하지만 오빠는 울지 않으려고 꾹
참아요. 일곱살이거든요.

오빠랑 동생은 스르르 잠의 문턱을
넘어 꿈의 방으로 막 들어갑니다.

꿈의 방 앞에는 끊어질 듯
이어진 꿈길이 있고,

그길을 따라 걸어오는 발소리가 있습니다. 발소리는 잠겨 진 문 앞에서 멈춥니다. 그리고 허겁지겁 문을 따는 소리 가 들리더니 누군가가 들어왔습니다. 마침내 문이 열리고 엄마가 오신 것입니다.

오빠랑 동생은 소리치며 엄마에게 달려갑니다.

"엄마다!"

"히잉, 엄마. 왜 이제 왔어?"

오빠랑 동생은 강아지처럼 엄마의 품으로 마구 파고듭 니다. 그런데 엄마는 무거운 그릇을 끙 하고 내려놓더니 피곤한 모습으로 짜증을 내시는 거예요.

"어이구, 방이 이게 뭐야?"

둘은 집을 엉망으로 어질러 놨다고 엄마에게 꾸중을 들 었습니다. 그래도 퉁퉁 불은 어묵을 간장에 찍어 먹으며 오빠랑 동생은 행복했어요. 문이 열리고 엄마가 오신 것입 니다.

내 귀여운 금붕어

우리 집은 과일 가게를 합니다. 아버지와 어머니는 아침부터 밤늦게까지 열심히 일을 하십니다. 우리는 가게 뒤에 붙은 작은 방에서 삽니다. 세 식구가 세로로 누우면 딱 맞습니다.

"명우야, 힘들어도 참아라. 언젠가는 우리 집을 사서 이사 갈 수 있을 거야."

부모님 말씀이 아니어도 나는 잘 참아 냅니다.

바른생활 책에도 잘 참고 이겨 내는 사람이 훌륭하다고 써 있으니까요.

비좁은 방에서 살아도 나는 공부만 잘하고, 운동도 잘합니다. 오늘도 체육 시간에 축구를 했는데, 내가 세 골이나 넣었습니다.

"와, 명우야, 너는 뭘 먹어서 그렇게 운동을 잘하냐?"

"과일을 많이 먹으면 되냐?"

친구들이 부러운 목소리로 물었을 때, 나는 어깨를 으쓱하며 장난스레 대답했습니다.

"별거 아냐. 날마다 매운 고추장에다 밥을 쓱쓱 비벼 먹으면 돼."

학교가 끝나고 바로 가게로 갔더니 어머니가 내게 말씀하십니다.

"아유, 저 땀 좀 봐. 얼른 들어가서 점심 먹고 목욕 좀 다녀오너라. 너 목욕한 지 오래됐지?"

"네."

나는 가게 뒷방으로 갑니다. 낮에도 불을 켜야 하는 컴컴한 방입니다. 방구석에 어머니가 차려 놓으신 밥상이 있습니다.

불을 켜니 조그만 장화 모양의 어항이 눈에 들어옵니다. 어항 속의 금붕어가 반갑게 꼬리지느러미를 살랑입니다. 강아지가 주인을 보고 반기는 것 같습니다.

일주일 전 내 생일 때 어머니가 선물로 사 주신 금붕어입니다.

"강아지 대신 이거라도 한번 길러 봐라."
하시면서 시장 바닥에서 파는 걸 사다 주신 것입니다.

어릴 때부터 나는 그렇게도 강아지를 길러 보고 싶었는데, 한 번도 키워 보지 못했습니다.

"다음에 우리 집 생기면 그때 사 줄게."
어머니는 그렇게 말씀하시곤 했습니다.

처음에 금붕어를 비좁고 어두운 방으로 데리고 올 때 나는 조금 미안했습니다. 하지만 지금은 나의 다정한 친구입니다.

나는 좁은 방, 좁은 어항 속에 갇혀 하루 종일 나만 기다려 주는 금붕어가 고맙고 사랑스럽습니다.

나는 정이 담뿍 담긴 목소리로 금붕어에게 말을 건넵니다.

"잘 있었어? 심심했지?"

나는 어항을 끌어안고 뽀뽀를 '쪽' 합니다. 그러자 금붕어도 내게 입을 쏙 내밀고 뻐끔거립니다.

"아유, 요게."

나는 이렇게 귀엽고 예쁜 물고기는 처음 봤습니다. 지느러미랑 오물거리는 입이 맨드라미 꽃잎처럼 예쁜 금붕어입니다.

나는 손가락을 집어넣어 지느러미를 간질입니다.

"참, 나 오늘 축구해서 이겼어. 내가 세 골이나 넣었다!

대단하지? 정말 신나더라."

그러다 나는 조금 미안해집니다.

"너는 늘 좁은 데 갇혀 있으려니 답답하지?"

나는 먹이를 다른 날보다 더 많이 뿌려 주며 다정하게
말합니다.

"천천히 먹어, 체할라."

나는 밥상을 끌어당깁니다.

"자, 나도 밥 좀 먹자."

그러나 친구들에게 말했던 것처럼 고추장에 비벼 먹지는 않았습니다. 된장국에 밥을 말아 김치랑 맛있게 먹었습니다.

나는 밥을 다 먹고 전화를 합니다. 같은 동네에 사는 짝꿍 차돌이입니다.

"차돌아, 나야. 너 나랑 같이 목욕 안 갈래?"

"어, 알았어. 엄마에게 여쭤 보고."

우리는 목욕탕 앞에서 만나기로 하고 전화를 끊습니다.

"나 목욕 갔다 올게."

방을 나서다 말고 나는 금붕어를 봅니다. 금붕어는 왠지 슬픈 듯 느리게 움직입니다.

"왜, 가지 말라고? 혼자 있으니까 심심해?"

하긴 날마다 컴컴한 방에 혼자만 있으니 무섭기도 할 것입니다.

나는 잠시 어떻게 할까 망설입니다.

가게로 나가 보니 아버지는 배달을 가셨습니다.

"목욕 갔다 올게요."

"그래, 물장난만 하지 말고 구석구석 잘 씻고 오너라."

어머니가 내게 목욕비와 음료수 값을 주시면서 말씀하십니다.

"네, 알았어요."

나는 돈을 받고 건성으로 대답합니다.

"잠깐, 명우야. 너 가슴에 불룩한 게 뭐냐?"

어머니가 바쁘게 나가는 나를 다시 부르십니다.

"아무것도 아니에요."

나는 재빨리 가게 문을 나섭니다. 어머니에게 들킬 뻔했어요.

목욕탕 앞에서 차돌이가 기다리고 있습니다.

"명우야."

"차돌아, 빨리 왔네."

"응, 그런데 너 가슴에 그게 뭐냐?"

차돌이도 어머니처럼 묻습니다.

"이거? 히히. 들어가 보면 알아."

우리는 돈을 내고 남탕으로 들어갑니다. 초여름이어서 그런지 안에는 사람이 거의 없습니다.

나는 차돌이를 이끌고 구석으로 가 옷을 벗습니다.

"야, 이거 금붕어 아냐?"

내가 가슴에서 장화 어항을 꺼내자 차돌이가 놀라 소리

칩니다.

나는 얼른 차돌이에게 속삭입니다.

"쉿, 조용히 해. 주인 아저씨 들어."

차돌이가 신나는 표정으로 말합니다.

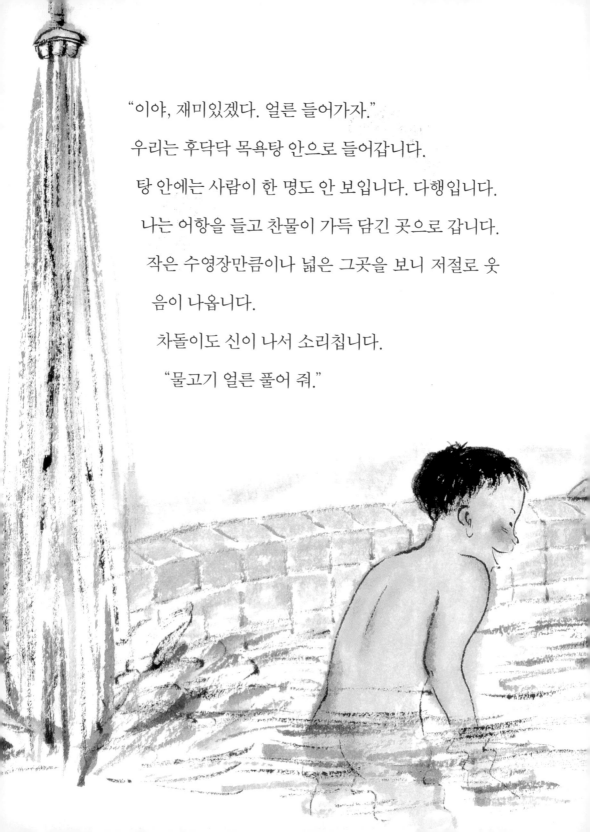

“이야, 재미있겠다. 얼른 들어가자.”

우리는 후닥닥 목욕탕 안으로 들어갑니다.

탕 안에는 사람이 한 명도 안 보입니다. 다행입니다.

나는 어항을 들고 찬물이 가득 담긴 곳으로 갑니다.

작은 수영장만큼이나 넓은 그곳을 보니 저절로 웃

음이 나옵니다.

차돌이도 신이 나서 소리칩니다.

“물고기 얼른 풀어 줘.”

나는 어항을 뒤집어 쏟습니다.

"자, 이제 너도 맘껏 놀아 봐라."

금붕어가 물과 함께 쭈루룩 아래로 쏟아집니다.

그런데 냉탕 안으로 들어간 금붕어는 가만히 떠 있기만
합니다.

"왜 그래? 수영장에 왔단 말야. 얼른 신나게 놀아."

금붕어의 볼록한 배를 살짝 건드려 봅니다.

"아까 먹이를 너무 많이 줬나?"

나는 걱정이 됩니다. 그런데 금붕어는 그제야 정신이 나는지 지느러미를 살랑거리며 움직입니다.

갑자기 넓은 곳에 오니까 잠깐 정신이 없었던 모양입니다. 하긴 금붕어가 언제 목욕탕에 와 보기나 했겠어요?

"야, 너네 금붕어 수영 잘하는구나."

차돌이가 감탄하는 표정으로 말합니다.

"응, 날 닮아서 운동이라면 못하는 것이 없어."

나는 차돌이에게 뻐겨 봅니다.

'그래, 그 좁은 장화 속에만 갇혀 있다 이렇게 넓은 곳으로 나왔으니, 너도 좀 이상했을 거야.'

나는 금붕어가 맘껏 헤엄치는 모습을 기쁘게 바라봅니다.

"우리 금붕어 따라잡기 시합하자, 응?"

나는 차돌이에게 말합니다.

"좋았어."

  우리는 금붕어를
따라가며 신나게 헤엄을
칩니다.
  금붕어도 우리랑 목욕탕에서
노는 것이 재미있는지 우리를 앞서기도 하고 뒤따라오기
도 합니다. 그러다 꼬리를 살랑이며 횡하니 다른 곳으로
가 버리기도 합니다.
  우리는 금붕어를 어항에 가뒀다 풀어 줬다 하면서 재미
있게 놉니다. 그런데 금붕어는 어찌나 잽싸고 빠른지 좀처
럼 잡히지 않아요.
  "어? 명우야, 금붕어 어디 갔냐?"
  "정말, 갑자기 안 보이네."

우리는 물속으로 퐁당 들어가 금붕어를 찾습니다.

"요 녀석, 여기 숨어 있네. 거기 숨으면 누가 모를 줄 알고."

금붕어는 바닥으로 내려가 파란 타일에 붙은 채 가만히 있습니다.

나는 금붕어에게 다가갑니다.
그러자 금붕어는 뭐에
토라졌는지 '핑' 달아나
버립니다.

'왜 화가 났어?'

나는 금붕어를 달랩니다.

차돌이가 다가와 금붕어를 쫓아갑니다. 그런데 금붕어는 어느새 저만치 도망가 있습니다.

우리는 마구 소리치며 금붕어를 따라갑니다.

"잡아라, 물고기 잡아라."

"하하하. 야, 잡았다. 어, 놓쳐 버렸네."

물 튀기는 소리, 웃음소리가 넓은 목욕탕 가득 울려 퍼집니다.

그때 주인 아저씨가 문을 벌컥 열고 들어왔습니다.

"너희들, 너무 소란스럽구나. 좀 조용히들 해라."

"……예, 알았어요."

우리는 행여나 금붕어를 들킬까 봐 조마조마했어요.

아저씨는

"찬물에서만 놀지 마라. 감기 걸릴라."

하시며 더운물에도 들어가라고 하셨습니다.

우리는 그래도 찬물에만 있었습니다. 금붕어만 놔두고 우리끼리 따뜻한 물에 들어갈 수는 없으니까요.

우리는 그렇게 한참을 금붕어랑 목욕탕에서 놀았습니다. 그래서 목욕은 비누칠 한번 제대로 하지 않고 끝났습니다. 하지만 그렇게 재미있는 목욕은 처음이었습니다.

차돌이와 나는 목욕탕에서 나와 가게에서 사이다를 한 병 산 뒤 사이좋게 나눠 마십니다. 둘만의 비밀이 생겨 우리는 더 친해진 것 같습니다.

차돌이가 사이다를 빨대로 '쪼옥' 소리 나게 빨며 말합니다.

"야, 명우야. 언제 또 목욕 갈래?"

"그거야 우리 금붕어님 맘이지."

나는 어항이 든 불룩한 가슴을 두드리며 말합니다.

차돌이는 부러운 표정으로 바라봅니다.

"다음에 갈 때도 꼭 나 불러!"

차돌이가 헤어질 때 내게 다짐하듯 말합니다. 나는 그러 겠다고 했습니다.

나는 가게로 가지 않고 곧장 방으로 들어가 불을 켜고 품에 있던 어항을 꺼내 놓았습니다. 그러곤 어항에 뽀뽀를 '쪽' 한 다음 금붕어에게 가만히 속삭였습니다.

"재미있었지? 다음에 또 데리고 갈게. 그때까지 답답해 도 참아."